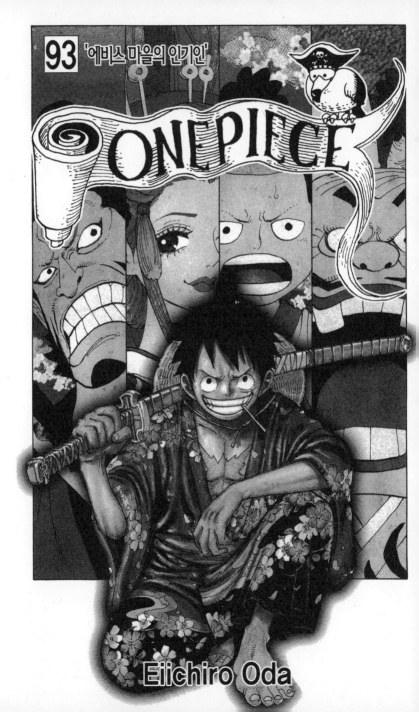

Character · 등장인물 ·

밀짚모자 일당

쵸파에몬
토니토니 쵸파 【 닌자 】

'새의 왕국'에서 '강한 약' 연구에 몰두하다.
재합류에 성공.

[선의 현상금 100베리]

루피타로
몽키·D·루피 【 낭인 】

해적왕을 꿈꾸는 청년. 2년의 수련을 거치고
동료와 합류, 신세계로 향한다!

[선장 현상금 15억베리]

오로비
니코 로빈 【 게이샤 】

혁명군 리더이자 루피의 아버지 드래곤이
있는 바르티고를 거쳐 합류.

[고고학자 현상금 1억 3000만베리]

조로주로
롤로노아 조로 【 낭인 】

어두우르가나 섬에서 자존심을 버리고 미호크
에게 검의 가르침을 간청, 이후 합류에 성공.

[전투원 현상금 3억 2000만베리]

프라노스케
프랑키 【 목수 】

'미래국 벌지모아'에서 자신의 몸을 더욱 개조.
'아머드 프랑키'가 되어 합류.

[조선공 현상금 9400만베리]

오나미
나미 【 여닌자 】

기후를 연구 분석하는 나라, 작은 하늘섬
'웨더리아'에서 신세계의 기후를 배워 합류.

[항해사 현상금 6600만베리]

본키치
브룩 【 유령 】

수장족에게 잡혀 구경거리가 되었으나, 대스타
'소울 킹' 브루크로 출세해 합류.

[음악가 현상금 8300만베리]

우소하치
우솝 【 두꺼비 기름 장수 】

보인 열도에서 '저격의 제왕'이 되기 위해
헤라크레스의 가르침을 받고 합류.

[저격수 현상금 2억베리]

상고로
상디 【 소바장수 】

'뉴하프만 왕국'에서 뉴커머 권법의 고수들과
대전 한층 더 성장하여 합류.

[요리사 현상금 3억 3000만 베리]

Shanks
샹크스

'사황' 중 한 사람. '위대한 항로' 후반
'신세계'에서 루피를 기다린다.

[빨간 머리 해적단 선장]

닌자 해적 밍크 사무라이 동맹

캐럿 (토끼 밍크)

[전수민족 · 왕의 새]

트라팔가 로

[하트 해적단 선장]

네코마무시 나리

[모코모 공국 · 밤의 왕]

이누아라시 공작

[모코모 공국 · 낮의 왕]

코즈키 모모노스케

[와노쿠니 쿠리 다이묘 (후계자)]

시노부

[베테랑 여닌자]

오키쿠

[와노쿠니의 사무라이]

소낙비 칸주로

[와노쿠니의 사무라이]

안개의 라이조

[와노쿠니의 닌자]

여우불 킨에몬

[와노쿠니의 사무라이]

오타마

[와노쿠니 쿠리에 사는 아이]

토노스케

[통칭 : 야스]

토코

[도읍에 사는 아이 · 카무로]

오이란 · 코무라사키

[와노쿠니의 사무라이]

아슈라 동자 (슈텐마루)

[아타마야마 도적집 두령]

제우스!! 네 녀석도 썩 돌아와!!!!

빅 맘 해적단

[링링,, 페로스페로, 스무디 등등]

유스타스 키드

[키드 해적단 선장]

효 할아범

[고참 죄수]

이 되고 만다. 이때 돌연스레 거대한 용의 모습인 카이도가 나타나, 동료를 공격한다. 화가 난 루피는 카이도에게 한 방 렸음에도 패배해, 죄수 채굴장으로 보내지고 만다…. 남겨진 동료는 결전을 향해 더욱 동지들을 모으는 한편, 루피 구출을 해 움직이고 있었다. 그러던 중, 오이란 · 코무라사키와 함께 오로치 성에 부름을 받은 로빈은, 성 안에서 한창 정보 수집 중에 로치의 부하에게 발각되어 절체절명?!

백수의 카이도

【 사황 】

수 차례 고문과 사형을 당하고도 아무도 그를
죽일 수 없어 '최강의 생물'로 불리는 해적

[백수 해적단 선장]

백수 해적단

화재(火災)의 킹

[백수 해적단 대간판]

역재(疫災)의 퀸

[백수 해적단 대간판]

가뭄해 잭

[백수 해적단 대간판]

X (디에스) 드레이크

[백수 해적단 '토비롯포']

페이지원

[백수 해적단 '토비롯포']

바질 호킨스

[백수 해적단 '신우치']

도봉

[백수 해적단 '신우치']

홀덤

[백수 해적단 '신우치']

스피드

[백수 해적단 '신우치']

쿠로즈미 오로치

[와노쿠니 쇼군]

후쿠로쿠쥬

[오로치 오니와반슈 대장]

오로치 오니와반슈

[와노쿠니 쇼군 직속 닌자 부대]

말뚝잠 쿄시로

[쿠로즈미 가문 전속 환전상]

Story · 줄거리 ·

2년의 수행을 거치고, 샤본디 제도에서 재집결에 성공한 밀짚모자 일당. 그들은 어인섬을 거쳐 마침내 최후의 바다,
'신세계'에 이른다!! 루피 일행은 칠무해 도플라밍고, 사황 빅 맘과의 한바탕 소동을 거쳐 '사황 카이도 격파'를 향해서
와노쿠니에 상륙. 카이도와의 결전에 대비해 은밀히 행동중이었으나, 루피의 존재가 카이도 측에 들통나고 쫓기는 /

ONE PIECE
vol. 93
에비스 마을의 인기인

CONTENTS

제 932 화
'쇼군과 오이란'

표지 리퀘스트 '시저가 쓴 전단지를 염소가 깡그리 먹어치우는 모습' P.N 후지

'꽃의 도읍' 속 돈의 흐름을 조사하러 왔어.

'축시 셋 꼬마'.

?!

완료.

꾸욱!!

?!!

욱.

덕!!

뚝뚝!!!

축시 셋 꼬마는 방금 전 도읍에 나타난 참이다!

슬기로운 대답이군.

붙잡아라!

푸푹!!

미안해. 들켰어! 성 안에 최소 11명의 닌자를 확인했어.

나미! 시노부 씨, 본키치!

타다다

우리는 오로비의 호위!! 장소를 확인해.

후쿠로쿠쥬가 이끄는 '오로치 오니와반슈'는 우수하다구.

11명이나 ……?!

뭐?! 로빈이 들켰다구?!

성 안 '지붕 밑'

12

소란피우지 말고!! 고작해야 생쥐 한 마리!!

알겠지?! 오로치 님은 연회가 한창이니!

얼라라!! 오로비 씨가 발각될 줄은 ………!!

성 안 '우물'

팟빗!!

예!!

도롱!!

저 간신히 식량 모으기 외의 일거리 받았는데요!!

어디 갔었더냐. 이리 오거라!!

오— 신입! 오로비!!

…… ……

크흐흐흐. 네 녀석도 나의 정실 자리를 넘보겠느냐?

이쁜 것. 거리낄 것 없다!!

저도 하고 싶은 이야기가 많사와요.

늦었사옵니다, 나리…♡

꾸흐하하하!!

'나무를 숨기려면 숲속에'. 지금 탈출은 불가능해.

할 일도 아직 있고………!!

13

오로치 님은 코무라사키의 본색을 모르시나.

저 미모라면 모두 무죄방면이지.

곱구나——♡ 아주 고와~~~!!!

꾸허허—. 삐지지 말거라. 삐지지 말거라. 코무라사키♡

나리는 심술궂으셔요………

제 새끼가 당해서 돌아오면

그 어떤 똘마니라도 잔을 나누면 부모 자식간 이올시다!

우리 야쿠자란 말이오…

변함없이 성칼지구만!!

그나저나 들었다네. 카이도의 '토비롯포'를 부르다니!

당신이라면 어쩌시겠소?

적은 늘 압도적인 힘으로 짓뭉개야 한다!!!

두 번 다신 거스르지 못하게 말이야!!!

!

그렇고말고, 쿄시로!!!

두목의 인협도(任俠道)는 놀라울 따름이야.

도읍에 사는 자라면 '쿄시로 일가'에 쉽사리 손 대지 못해.

똘마니가 당했을 뿐이라며 사소히 여기지 마라…

시골

시골

외부인이 도읍에 섞여 들어온 것이다!!

!

설령… '망령'이라 할지라도!!!

아내 토키가 유언을 남긴 복수의 해!! 오뎅의 의지는 살아있다!!!

올해는 코즈키 오뎅이 죽은 지 20년째!!

다시 한 번 말하마!!

알겠나, 너희들!! 기왕 집합한 김에

쿵짝♪
시끌

쿵짝♪
시끌

오뎅의 가신 '아카자야 아홉 남자'의 규격을 벗어난 강함을 기억하는가?!!

······
······

와글
와글

——또 시작이군······.

16

놈들은 이 20년 후의 와노쿠니에 부활해 준비 중이다!!!

바로 내 목을 치기 위해서 차근차근!!!

——이제 잘 기억도 안 나.

사내 였지.

그 리더격 킨에몬은 머리가 좋은 사내다!!

다 죽었대도 그러네···.

O (오다) : ↑엑 〰〰〰〰〰 !!!ㅎ
얻어맞은 뒤에 시작하기야 〰〰〰 ?!!
얼얼하다구 〰〰〰〰 !! (울음)

D (독자) : 자 여기서, 상디 · 나미 · 쵸파 ·
브룩의 '뭐?!! 얼굴'까지 3, 2, 1
부탁합니다!!   P.N. 하야토의 건강

O : 네!!

D : 오다 쌤! 와노쿠니에서 호킨스가 무척
멋지구리한 동물이랑 함께 다니던데,
그건 무슨 동물인가요? 와노쿠니 동물?
          P.N. 시안

O : 그건 '코마시카(사슴)'예요.
'코마이누' 코마치요나
'코마데인(Dane)' '코마토리(닭)' 등,
와노쿠니 특유의 불꽃 같은 털을
가진 동물들의 일종입니다.
그밖에도 여러가지 있습니다만,
좀처럼 등장시킬 찬스가 없네요.

코마시카

코마이누

코마데인   코마토리

제 933 화
'무사의 정'

표지 리퀘스트 '개구리와 함께 풍선껌을 부는 에넬' P.N 홍콩 420랜드

으아아아 아아아아!!

아깝기 그지없는…

오로치 님~~~!! 고정하시옵 소서!!

네 머리를 깨물어 으깨고 싶지 않다.

아깝기 그지없는 그 아름다움 ………!!

라잉!!

사죄하라!!

진심으로 목숨을 구걸한다면 ……!!

……

동물계 환수종
뱀뱀 열매
(모델 야마타노오로치)

……
……·.

죄를 가벼이 해주마…!!!

쇼군은 자유다. 속박하는 것은 아무것도 없다!!

!!

그런 것보다

오이란을 구해!!

닌자들이 있거든 쇼군을 막아야지!!!

다이코쿠!!

까악

오

오로비 씨가 침입자?!

분명 지금까지 본 적 없는 사람이긴 했지만…!!

침입자?!

띠리링!!

현재 우리는 '침입자'와 대치 중이나니!!

……!!

29

구해낼 수 있을지조차 모르는데!!

무모한 소리!

쇼군을 화나게 만든 널

아하하하.

저기, 언니!! 오이란을 구해 줘!!

와노쿠니 으뜸 가는 미녀가…… 딱하게 됐군.

오이란!!

쨰앵..!

와하아이

까아아악. 언니!! 언니!!

코시로 공, 어찌 이런 짓을!!

'쇼군'을 거스르면 누구라 한들 대역 죄인!!!

코무라사키에게 '무사의 정'을 베풀었을 따름이오.

누가 죽이라 하였느냐!!!

웬 짓거리냐, 코시로!!!

철칙이외다!!

팟딱…

으응

!

그렇게까지 하는가, 코시로!!!

자신의 충성심을 보이기 위함인가……?!

………!

D : 88권 885화 112P에서 상디가 만든 궁극의 크림
'심심(Simsim) 휘핑' 말인데요, 심심의 의미를
가르쳐주세요.　　　　　　　　　　**P.N. OP여자**

완성이다!!
궁극의 크림
본 '심심(Simsim) 휘핑'!!

빠
밤

O : '심심'이란 '참깨'라는 뜻이에요. (아라비아어)
어떤 지역에선 옛날에, 마법의 힘, 신비의 힘이 참깨에
깃든다고 여겨졌죠. '알리바바와 40인의 도적'이라는
이야기에서 '열려라 참깨!'라고 들어본 적 있나요?
아라비아어로는 '이프타흐 야 심심'이라고 한답니다.
그런 '힘'과 '맛'을 상디는 휘핑 크림에 섞어넣은 거죠.
상디가 의도한 건 아니라고 생각하지만, 휘핑 크림이란
빅 맘이 가장 좋아하는 '셈라'에 듬뿍 사용됐던 것.
심심 휘핑의 힘이 빅 맘의 기억을 불러일으켜
식(食)의 싸움에 큰 영향을 끼친 것은 틀림없습니다.

افتح يا سمسم (イフタフ・ヤー・シムシム) = iftah ya simsim

افتح = 열려라, يا = 기합(앞), سمسم (참깨 : simsim)

맛있어♡
이렇게
달콤할
수가♡

죽을
만큼…

?!!!!

D : 오다 선생님, 처음 뵙겠어요. 오전에 카마쿠라 대불 같은 색깔로
거대화한 센고쿠 전(前) 원수가 나타나는 꿈을 꿨습니다.
룰렛처럼 나발이 한 곳씩 순서대로 빛을 내며,
백호에서 빛이 멈추길래 럭키라는 꿈이었어요.
럭키인 경우, 해군 찹쌀튀김(오카키) 받을 수 있었을까요.
　　　　　　　　　　　P.N. 미스 인터카프리데

O : 무진장 귀여운 꿈이네!!
스마트폰 게임으로 해보고 싶어.
(나발 = 머리카락 같은 둥근 부분)
(백호 = 점 같은 둥근 부분)

제 934 화
'꽃의 효고로'

표지 리퀘스트 '우솝이 코끝에 올라탄 왕관앵무새와 대화하는 모습' P.N. 노다 스카이워커

하필이면……!!

곤란하게 됐구만, 할짜락.

'와노쿠니 근해——'

띠 라잉!!

기다리기만 해야 돼—?

이 배가 전복되지 않고 끝난 것만 해도 기적인가….

'킹'의 공중 방어가 있는 이상 더 다가갈 수 없겠군…!!

마마가 떨어진 곳은 폭포 위!!

시끌

시끌

44

이것도 기적이니까…!!

—즉 살아 있다!!

마마의 '비브르 카드'는 무사해.

만에 하나 뭍으로 떠밀려갔어도 적지!! 머지않아 잡혀!!

헉…!! 카이도한테…?!

적이 건져내 붙잡았을 가능성이 짙지 않아?!

능력자가 물에 빠졌으니………

전……함……욧!!

이요옷♬

얼씨구, 페로 형. 차기 선장은 카타쿠리잖아!!!

'빅 맘 해적단' 개명……… '페로스페로' 해적단인가….

뭐, 목숨은 빼앗겠지.

둘이 옛 동료라곤 하나… 지금은 피차 '사황'이라 불리는 적 관계…!!

연공서열이야… 할짜락♬

헛소리 한다. 당연히 실력이지.

45

마마를 상식으로 가늠하지 마라, 어리석은 것들!!

반드시 돌아 와!!!

멋대로 마마를 죽이지 마!!!

……!!

!!

와!!

쩨쩌릿!!

스내애애치!!

따악!!

아하하!

긴장을 풀 순 없음이야!!

이 몸은 이 싸움의 중심에 있다.

진지하네요, 모모 군.

부웅!!

부웅!!

용기가 나지 않을 때 마음을 북돋아주는 주문이라고.

조로주로가 알려주었지!

쿠쿠쿠쿠..!!

'스내치' 말인가. 해외의 검 기합 소리니라!!

응?

방금 기합 소리는 어디서…?!

?! …… 모모노스케 님…!!

49

모모노스케 님이 쓰시기에 걸맞은 의미가 아니온지라!

'쿠리'의 오랜 방언에도 그러한 기합 소리가 있으며…

우연일지도 모르오나……

뭐?! 어째서더냐??

——그럼 소인이 그것을 금하겠습니다.

엑~! 상관없지 않느냐!

안 됩니다!

쿵

쿵쿵

무서운 거 봤어….

후하— 마을은 대소동이었소이다 ……!!

'북쪽 묘지' '와노쿠니' 링고—

키비
우동 꽃
리 하쿠마이
오니

…오토코, 그 애를 유곽에 데려다 준 게 잘한 일인지… 조금 걱정 돼….

화려한 이름이군요….

20년 전 와노쿠니 으뜸 가는 야쿠자 대두목이라면 오직 '꽃의 효고로' 뿐이었소.

쿄시로라는 자, 소생들은 모르는 이름이라오…!!

보통 그런 미녀는 안 베잖아?! 사무라이 무서워…

음. 쇼군의 원한을 샀다지만…

철푸덕

50

'꽃의 도읍' 또한 생활 밑바탕부터 지배받고 있어.

변장을 해야지. '따뜻한 물', '마실 물'은 전부 오로치가 경영한다구.

확인 겸 마을 목욕탕에 가지 않을래? 피곤해졌어.

—설마 아이를 쫓아다니는 짓거리를 할까요.

확실히 그래…. 조금 휴식하자.

※코케시 : 손발이 없고 머리가 둥근 여아(女兒) 모양의 채색 목각 인형

야, 너. 그걸로 연락해보자.

오로비네가 현장에 있었을 텐데 무사한가?

배려심이란 게 없냐, 너는!!

장례식은 내일 이라는군.

미녀의 죽음은 세상의 손실이라고, 밥팅아!!

'스마트 우렁이'!! 와노쿠니의 전보벌레야.

걱정이네.

53

....
'밀짚모자'는 없지만… 유스타스 키드…?!

분명 그럴걸! 빨리 보고 싶대!!

아, 슬슬 기다림에 지쳐 날뛸 때지!

여탕…, 트랑이! '우동' 쪽 기사는 없어? 루피타로의.

아까부터 귓등으로 들을래, 짜샤!!

─그런데 '목욕탕' 위치는 알 수 있나?

있어도 이상하진 않지만… 입장이 달라…

동맹을 맺은 호킨스가 있으니까.

여탕…!! 그 녀석도 와노쿠니에 있었나.

탈옥한 모양이군.

（토치기현·부장 스케 씨）

D : 앞권 SBS의 숨겨진 문자 중 나머지 3개는
'장고' '효조' '카이도'인가요?
노보리에 '게다츠'도 발견했는데요.
그리고 제931화에서 '파가야',
제934화에서 '쿠로오비'와 '가이몬'을
발견했어요.   P.N. 오다 매니아

O : 스탭에게 물었습니다.
'춤추는 장고' '효조의 바다' '모건의 도끼' '마린포드'
'게다츠' '아이스버그' '와이퍼' 등이네요. 확인 가능한 것들은.
또 917화에 '햄버그', 931화에 '파가야'

 934화에
'쿠로오비'
'가이몬'

이렇게 있다고 하네요. 양쪽 다 용케도 하네!! (웃음)

D : 혼욕… 오다 대선생님, 혼욕…
꽃의 도읍에 있는 목욕탕에는,
혼욕… 어떡하면 혼욕… 갈 수 있나요?
          P.N. 하야토의 건강

O : 욕망 덩어리인가 자네!! 난잡하긴!!
이건 문화입니다! 혼욕 온천은 지금도 일본에 있고.
에도 시대에는 이게 보통일이었다는 듯 합니다.
에도가 모델인 와노쿠니니까,
저도 본의 아니게 욕탕 씬을 그리고 말았어요….
진짜루 참말루 마지못해. 어쩔 수 없이.
아, 죄송한데 코피가 나서요. 거기 티슈 좀 주세요.

제 935 화
'QUEEN'

표지 리퀘스트 '궐련의 연기를 보고 화재라고 생각한 쥐 소방단이
스모커에게 물을 뿌리는 모습' P.N 나카하라 로

와노쿠니 우동 죄인 채굴장의 규칙 그 첫 번째—.

채굴장

와아아아아아아아아!!

간수에게 말대꾸를 한 자에 대한 처벌.

꽈

앙 !!!

1회. '양팔의 절단'—.

3회. '사형'—.

2회. '양다리의 절단'—.

뿌 긱

솔직히…
지금 이대로는 일주일 후
5천 명이라는 목표는 무리고
잘 모아야 5백 명이야….

하긴
'꽃의 효고로
두목'이 있었다면
사무라이들도 단숨에
결속했겠지.

칸주로가
말했던 사람
얘긴가?

그렇게
대단한
사람이야?

다른
다섯 마을의
두목들에게도
얼굴이 통했고
민중에게
상냥했던

20년 전
와노쿠니
'뒷세계의
세력가'.

힘과 인망을
두루 갖춘 진짜
'협객'이었어.

'꽃의 도시'의
뒷세계를
쥐락펴락했던
대두목이지.

오뎅 님도
젊은 시절부터
그를 따랐지….

20년 이상
옛날 얘기야.
풍문으로는….

시끌

시끌

──그럼
그 사람을
찾으면
여러모로…!!

D : 안녕하세요. 90권 제905화에서 베티와 코알라가 이야기 나눌 때
코알라 왼쪽에 있는 검은 머리칼의, 왼손이 왠지
기계 같은 여자의 이름이 뭔가요? 가르쳐주세요.
P.N. 에메랄드 우사

O : 음—. 혁명군에는 동서남북 플러스
G(그랜드 라인) 총 5명의 군대장이 있고요.
예를 들면 G군 군대장 이반코프에 부대장이
이나즈마 듯이, 반드시 군대장을 보좌하는 사람이 있답니다.
그런고로 답은
동군 군대장 벨로 베티의 보좌,
부대장 아히루 양입니다. 앞으로 크게
다룰 기회가 있을지는 모르겠어요.

벨로 베티　　이반코프　　이나즈마

D : 와노쿠니 구름요, 아, 오다 쌤 방구는
평범한 방구랑 다르게 생겼죠?!
P.N. 코라 씨 사랑하는 킹☆

O : 자네 그거임? 항상 하늘에 그려져 있는 게
죄다 내 방구라고 생각하며 읽는다 뭐 그런 거?

구름이거든?! 하늘에 떠있는 건 구름!!♪ 와노쿠니 것은 분명
분위기가 다르잖쉬! 와노쿠니니까 옛날 풍속화 같은 화면으로 분위기
잡아보고 싶다는 기분으로, 평소랑 다른 방구 끼는 중입니다. 뿌웅—!

D : 카이도가 용 모습일 때, 어떻게 공중에 떠있는 건가요?
P.N. 그 때의 용입니다

O : 용은 구름을 잡고 난다고 들은 적이 있습니다.
그러므로, 카이도는 구름을 만들어내고,
구름을 넘나들 듯이 날아다닙니다.

제 936 화
'오오즈모 인페르노'

표지 리퀘스트 '아오키지가 완제가 만든 라면을 먹으려다가 얼려버린 모습' P.N 미사토

79

이걸 차고 잠깐이라도 씨름판을 나가면

훅!

철컹!

너희에게 채운 이 목걸이 ~~~♪

이 돌기둥을 자신이라고 생각해라!!

으헉~~ ~~~!!!

푸콰앙

젠장, 천룡인 목걸이랑 똑같잖아!!

물론 벗길 수 있는 구조가 아니니 포기해라!!

너희 목이 댕겅 날아갈 거다!!!

안쪽의 '손톱'이 튀어나와~ ~~~~

철커걱!!

으쌰

....!!

너희는 '2인 1조'!!
두 사람이 떨어지면
사형 완료.

——다만 혹 도중에
우리 해적단에
들어올 마음이 생기면
밀짚모자에 한해서
석방이다!!

요컨대
스모에서
쭉 이기면
된다!!

씨름판에서
밀려나면
즉시!!

와!

와!

'해루석 수갑'은
벗겨주마♬

!!

너희에게도
서비스를
주지!!

한편 이쪽은
'무기 가능',
'머릿수',
'목걸이 없음'!!
사람은 제한없이
투입된다.

82

그냥
놓아준 거나
마찬가지잖아!!

목걸이
잊은 거
아니냐?!

오히려
더 위험한 걸
달았는데!!!

무지막지
착한
녀석이구나
——?!!!

우호——

앗싸——!!
너!!

뭣~~~~?!
소인은
그 고생을 했는데
말이오만~~~~!

진짜
벗겨지다니
!!

응? 그럼 이 열쇠는
루피 공이 쓸 게
아닌가?!

부웅
부웅!

이놈들은 연습감도 안 돼.

다음 나와!!

……

……

므하하하.

설마 패왕색 인가….

허억~~~~~~~?!!

꺄아아아아아!!

이 녀석 설마……!!!

어…?

85

부탁한다, 루피타로.

——아무튼 효고로 두목을 죽게 두면 안 돼….

캇파파파!!

저 녀석이 오고부터 떠들썩하군….

꺄악

아아아아 꺄

………

………

여자 알몸에 약하면 처음부터 말을 해!!

어디......

휘청!

파

어이!! 소바 마스크는

약하지 않아….

너도 마찬가지잖아. 그게 어쨌는데.

!!

드레이크, 네놈 '노스' 출신이구나!

이 틈에 도망치자!!

부룽!!

'스텔스 블랙'!!!

부웅!

'제르마 66'의

......!!

진짜?!

얘기하면 길어져!!! 설명은 이따가!!!

일단은 튀고 보자!!!

출혈 괜찮아?

이제 죽어도 여한이 없어!!

쫓아라ㅡ!!

하늘로 달아났습니다!!

!! 뭐?!

베포 일행이 붙잡힌 것 같아…!!

ㅡ게다가 성가신 정보를 하나 더 얻었어….

?!

ㅡ다리의 마크가 들통난 건 큰일인데!

꽃의 도시가 대혼란에 빠지게 돼!!!

그런 상황에 너 무슨 짓 한 거야?!

트랑이를 끌어낼 작정인 거야………!!

우선 녀석부터 막아야……!!

ONE PIECE

planning new adventures

단팥죽 좋아하는구나 ~~~♡

그렇구나, 우리 오타마도

마~ 마마마마마마 하하하하~

와노쿠니 '쿠리-우동' 이동중

응! 나 진짜로 볼이 떨어지는 줄 알았어요.

하~ 하하하, 그러니? 배고프다~ ~~~♡

단팥죽이 기대 돼~~~♡

오린, 그건 좀 무서워요!

이얍—!! 헛—!!

팥죽 하나로 꽤 신이 났군요···

······ ······

이~~~해~~~ 돼~~~~♡ 떡을 감싸는 개구리의 눈알 같은 광택···♡

단팥죽의 단맛이 볼 안쪽에 퍼지면서···

거꾸로 루피를 위험에 빠뜨리는 꼴이 돼!!

없다는 걸 안 충격으로··· 만일 '빅 맘'으로 돌아오면!!

이걸로…
일단
때워야겠군.

파박…!!

?!

뚝 뚝
뚝 뚝

?!

과약…!!

응?!!

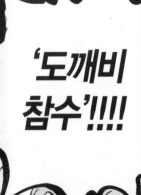

'도깨비
참수'!!!!

꾹…!!
뚝뚝

안 빠져!!

파직…!!
부웅!!
!!

D : 오타마 집에 아주 옛날, 분부쿠 차가마에 나오는 듯한 너구리가 있는데,
그 너구리는 능력으로 복종시킨 거 같지가 않아요.
분명 근사한 에피소드가 있겠지 이래저래 상상하는데,
실제로는 어떤가요? P.N. 에바라 로타

O : 눈치채셨나요? 녀석의 존재를. 이 녀석은 사실
'개개 열매 모델 너구리'를 먹은 차솥이랍니다.
히테츠가 소중히 다루었던 차솥이라서, 능력을 가진 지금도
히테츠나 오타마를 잘 따릅니다. 불에 얹으면 더워서
더는 물조차 끓이지 않는 애완동물입니다.
하지만 누군가 눈치채주길 원했지만 아무도 눈치채주지
않았던 적이 있어서, 여기서 발표합니다!!
잘 봐주세요. 이 '분부쿠 군' 사실은...

자기 금구슬 주머니에 앉아있어요!! (폭소)
아무도 눈치채주질 않았어!! 혼자서 웃으면서 그랬다고!!

D : 흰 수염이 갖고 있던 거대한 '치도'의 이름을
알려주세요. 그리고 그건 최상명검인가요?
P.N. 미즈모토

O : '무라쿠모기리'라고 합니다. 최상명검 맞아요!

D : 나미의 행복 펀치는 지금도 10만 베리면
감상할 수 있는 걸까요?
아니면 몸의 성장에 따라,
가치가 올랐나요? P.N. 사나닷치

O : 물론 올랐겠죠.
이번에는 나미도 본의가 아니었지만
알라바스타 이후 처음이니 반갑달까요.
30만 베리는 내야한다고 생각하시길.

제 938 화
'여자의 비밀'

표지 리퀘스트 '크로커다일의 모래로 모래 장난을 치는 아기새들' P.N. 보라색 판다

다친 건 내가 미숙해서야……!!

어찌 사과를 드려야 할지…….

정말로……

대신 그런 상처를 입게 만들어서

고마워—!!

너희와는 상관없어…….

…….

아야야야얏. 아퍼!!!

안 돼요, 진정하세요!! 그런 상처로 밖에 나가다니.

!!

와락!!

그 덩치는 어디로 갔지? 칼을 빼앗긴 채야……!!

그쪽 어깨라고, 바보야!!!

까아악. 죄송해요!!

철컥!!

그걸 바르면 금방 나아!!

훔친 거군.

도읍에서 '두꺼비 기름'이라는 약을 훔……

그래도 금방 나을 거야.

굉장해. 칼에 베인 상처가 싹 사라져!!

사왔으니까!!

123

도읍에서는 유명하답니다. '강탈 다리의 규키마루'.

'규키마루'?

평소 지내는 거처는 모르겠지만

너희도 정체가 뭐지? 사신이 목숨을 노리려 들고.

——그래. 그럼 서두를 거 없겠군……

무기를 지닌 자가 그 다리를 건너려고 하면 나타나는 승병이지요.

쩝

쩝

'치'랍니다.

쇼군이라…… 오로…… 오로시?

——이제 도읍으로 돌아가지 못해요……

네, 실은 와노쿠니 쇼군의 노여움을 사서……

나는 토코야! '오'를 붙이면 '오토코(남자)'지만

남자는 아니라구, 이히히히. 재밌어?

우물 우물

꿀꺽 꿀꺽 꿀꺽

우물

!!

그렇지도 않아.

（오키나와현·사사키씨）

D : 녹화한 원피스 골드를 봤는데,
사카즈키가 루치에게 '꽤 응큼해졌군'이라고
말하던데요, 어떻게 '응큼'해진 건가요?   P.N. 콘도우

O : 사람은 나날이 응큼해지니까요
그 로브 루치 씨도 예외가 아닙니다.
그 장면은 분명 로브 루치가 응큼한 그림을
프린트 출력하는 참에 사카즈키가 나타나,
'한 장 주겠나' 하고 말을 거는 명장면이라고 생각...

'출세'거든─?!! ⚡
'출세했군' 이랬단 말이야─!!!

D : 오다 쌤, 질문입니다.
예전에 조에서 킨에몬은 전보벌레 존재를 모르는 듯
했는데요. 막상 와노쿠니 편이 시작되고 나니까,
형태는 달라도 대롱 형태의 전보벌레처럼 생긴 것이!!
이 20년 동안 와노쿠니는 새로운 통신 수단을
손에 넣은 건가요?
          P.N. 톳피 대선단 선장 오오타 군

O : 바로 그렇습니다. 934화에서 우솝이
하는 말을 보면, 이건 염파를 날리는 '우렁이'입니다.
킨에몬 일행이 없었던 20년 사이에 보급된 것으로,
현재 와노쿠니에서는 일반적인 전달 수단이 되었죠.
'영상 전보벌레'와 마찬가지로 '빛그림 우렁이'도
존재합니다.
하지만 전보벌레보다 염파가 조금 약하다는
난점이 있습니다만....
네! 시간이 다 됐군요!! SBS, 다음 권에서 또봐요!!
영화 정보는 뒷쪽에 있습니다!!

제 939 화
'늙은 표범은 길을 잊지 않나니'

표지 리퀘스트 '해저에서 거미게가 징베의 이발을 하는 모습' P.N M.히유

8살 그대로에 여동생은 26살이라….

과연. 확실히 그렇군. 20년 전에서 날아온 모모는

오토코는 제 민낯을 아는 몇 안 되는 절친이에요.

이 아이의 명랑함에 늘 구원 받았죠.

언니랑 나의 비밀이었걸랑.

꼬옥!

아하하하.

괜찮아. 나 알고 있었어!

요 녀석은 들어도 되는 거지?

129

눈 앞에서 오라버니네가 어디론가 사라지고 말았으니까요 ………. 같은 날 아버지 오뎅을 여의고…… 어머니마저 여의고서

20년 전의 저 또한 이 애처럼 어렸지만

그 날 일은 잊지 못해요! 불타오르는 불꽃 속에

그런 뜬구름 잡는 듯한 이야기에 희망을 가질 수가 없었어요.

당시에는 살 기력조차 잃었습니다.

어느 날 갑작스레 모든 걸 잃고

오라버니는 20년 후에 돌아온다고 한들

오라버니나 저… 한 쪽에 무슨 일이 벌어질 때 '코즈키'의 피가 끊어지지 않도록……!!

너도 같이 미래로 가지 그랬어.

캇파?!

마음의 버팀목이 되어 끈기있게 키워줬어요.

——하지만 그런 저를 아버지의 가신 '캇파 카와마츠'가

그거 가혹하군.

……

……

네. 요괴라니 믿기 어렵지만 본인이 그 사실에 긍지를 갖고 있어서요………

말문이 닫혀버린 저를

공주! 캇파 춤이라오♪

캇파파~

공주!! 잠시만 참으시길!!

성이 불타던 날 사방이 적에 포위됐지만…… 해자에서

늘 밝게 북돋아주어서 ……

수로를 통해 남들 모르게 탈출.

소인이 먼저 먹어버렸소! 캇파파.

아까 전에 구운 생선이 강에서 헤엄치던지라

소인은 속이 좀 불편해서.

자기는 먹는 둥 마는 둥 저한테 식량을 주었고……

저도 점차 웃을 수 있게 되었죠……!!

분명 이 나라 어디선가 결전의 날을 기다리고 있을 거예요.

하지만 카와마츠는 강한~~~ 사무라이니까요!

제가 열셋 쯤 되던 때였나…… 곁을 놓치고 말아서……

지금 그 녀석은?

카와마츠와도 만나고 싶네요………!!

무지무지
기뻐서요.

응?
뭐 하는
거야.

이잉!

죽었다고
들었는데……

같이
있다구요?!

이누랑
네코도……!!

네~~~
~~?!

하지만
안 울어요!!
무사의 딸이니까!!

네코마무시는
아직
와노쿠니에
도착하지
않았을지도
모르지만…

아카자야 9남자

킨에몬 칸주로 라이조
오키쿠 이누아라시

네코마무시

? ? ?

우리가 아는 건
즉 그 여섯과
모모노스케.

아하하하.
언니,
재밌어!

이잉!

꺄하
하하

나머지 셋은
아직 못 만났어.

132

셋 다
어디에 있는지,
무사한지……
저 역시
모르지만……

지금 도읍에서
이 종이로 소동이
벌어졌사오니……
분명 나타날 거예요!!

남은 건
방금 말씀드렸던
'카와마츠'와

'덴지로',
'아슈라
동자'예요!!

정작 중요한 '집합장소'가 들통나… '동지들'이 붙잡힌 건

단번에 정보가 퍼진 게 되려 손쉬워진 느낌도 드는데

아무리 생각해도 마이너스야. ……일이 어떻게 굴러갈지……

맞아요, 맞아. 조로주로 씨는 아무튼

뱃머리만 많아봐야 배는 앞으로 안 나아가. 나는 생각을 정지할 테지만……

상처가 낫는 게 먼저죠! 눈 좀 붙이세요.

벌렁..

결전 전에 안 만나는 편이 나으려나……?

만나면 나 어떤 반응하게 될까……

다들 그 때 그대로 ……!!

그치만 8살! 신기해.

응. 잘 됐어. 아하하.

좋아라~~ 오라버니가 살아 있었어. 오토코♡

무사의 싸움에 혹 찬물을 끼얹은 건…… 그치, 오토코.

드렁 드렁

시끄럽네. 잠 못 자겠……

…… ……!!

드렁—

이게!!

쌔액!!

푸흑!!!

점프!!!

그대로

잘 했어, 할아범!!

뭐—?!
농담이지?
효 할아범의
움직임이 잽싸!!

138

다음 '왼쪽'!!

자네!

뭐지?!
미래라도
보이는 겐가?

윽~~~~~!!

얍.

그대로 쭉.

'알파카 검법' 챙챙챙~

다음은 어디인가!! 밀짚모자!!

뭐?!

재 재 재 챙!

아니, 당치도 않네!! 내려주게나!!

자네에게 이 이상 폐를 끼칠 순………!!

이게 더 편하네.

으앗.

챙챙챙~ ~~~~

그렇게 멈추고 싶은 게 아니걸랑!! 닿지 않고 날려버리는 펀치를 치고 싶어!!

해보기 전까지는 모르지만!!

그러면 카이도의 그 딱딱한 비늘을 부술 수 있을 거 같아서……!!

붙잡혀서…… 지금 대놓고 처형 게임 와중이거늘…… 자네라는 사람은

아까부터 주먹을 코앞에서 멈칫할 때마다 '아니다', '아니다' 하던데 대체———?!

더 무거워도 될 정도야!

수행이 되거든!!

제 940 화
'반역의 불씨'

표지 리퀘스트 '여름 축제 노점에서 퀄러티 높은 밀짚모자 일당 사탕을 만들고선
아무에게도 팔고 싶지 않은 바르톨로메오' P.N 로멩이가 좋아

어제 도읍에서 쫓겨난 전 도읍 사람이지.

저들은 새내기야.

너희 천것들의 보살핌은 필요 없다!!

응?

꺼져라!!

하지 마!!

나오셨구먼, 요괴 아즈키 할망구.

뭐야?! '에비스 마을'에서 고함소리라니.

와하하하하!!

까하하하하!!

아하하하하

'도읍 추방'?!

뭐가 웃겨서 쳐다보니!!

'꽃의 도읍'은 쇼군에게 충직하고 돈을 만들어낼 수 있는 자들밖에 살 수 없어.

관리를 돈으로 매수해 처벌 없음.

똘마니 '분고'는 밤마다 마을에 불을 지르며 쏘다니고도

방화마?!

왜 매수까지 해가며?!

저놈들은 꽤나 못된 짓을 한 모양이지만! 아하하하.

부왕

비싼 값을 매기는 게 승려 겸 장의사 '빈고'.

화재로 죽은 이의 유족을 슬픔으로 몰아넣어

집의 재건에 쓸 목재를 파는 '목재상' '본고'

그 화재로 득을 보는 게

?!

!!

삐| 잉!!

뽀 옹!

어제 죽은 절세미녀 오이란 '코무라사키'에게 셋 다 홀딱 빠져선

'겉'으로는 착한 척하는 경을 칠 악당놈들인데 재밌게도

관리를 매수해서 절대 잡히지 않지.

'빈고', '본고', '분고' 이 셋은 한 패거리야.

……
……

148

그렇담 그 오이란은 알고 한 일이네?! 굉장해. 정체가 뭐야?!

소문치고는 구체적이야! 그거 사실이지?!

—그런 소문이지!

하늘의 해님께서 보고 계시구나 ~~~!

간이고 쓸개고 다 바치다 파산해버렸으니,

아 하 핫

돌봐줬는데 아직 으스대는 통에 감당이 안 돼.

셋에게 야스 씨가 살던 집을 내주고

맞다! 생각났어. 저 녀석들 오이란 행렬 때 소란 피우던 놈들이야!!

치닥거리 참 좋아해― 토노야스도.

참~~ 위험한 녀석들인데!!

그래서 구나!

작전이 망해버렸군. 적도 알아버렸고,

하긴 그러네―!

공교롭게 그 '결전'에 대해 알았는데……

분명 우리는 이 쪽지 덕분에

음…… 그렇소이다!!

하지만 나는 '다리에 그믐달'을 새기는 것도 몰랐어. 그런 동지도 있지.

지금이라도 '거짓말입니다' 하고 넘기면 좋으련만……!!

그러면 같은 편도 믿어버리겠네………!!

자, 이거 바빠지겠구만! 여하튼! 결전까지의

우리도 꼭 함께 나서서 싸우겠다고!!

킨에몬 군네 쪽에도 알려주게!!

일주일도 못 기다리고 죽을 듯한 사람들이 수두룩하니까!! 아하하!!

마을 소녀♪ 난 이쯤에서 실례하겠수다!

미남자에 예쁜이에

요욧.

그럼 결례는 이만하고!

뽀옹

따약!

떡컹

!

그러게. 무척 밝은 사람이야……! 토노야스 씨 정체가 뭐지?

나도 마찬가지!!!!

저 아재의 얘기를 들어도 늬들과의 관계성에 영 감이 안 오는데.

……

시꼴 시꼴

그래서…

배고프다…….
밥도
안 주기냐!!

웨 앵

제길……!!
내일
하자고──?!

좀 더
붙게
해줘──!!

내일이면
미이라
꼴이겠네!!

취침이다.
자라──!!

응성
응성

…음──.
보초가 있으면
걔네들 얘기는
못 하겠네.

왜
카이도와
싸우는
거지?!
한번
쿠리에서
졌다고
들었는데.

응?

물어봐도
되겠나,
밀짚모자.

156

좋아.
이거면
되겠지.

털썩
털썩
털썩
털썩

찌잉!!

나는
'해적왕'이 될
남자니까
그 녀석들 전부
쓰러트려야만
하거든!!

'해적왕'……
로저 같은
남자인가?

'사황'은
알아?

아니….

세상의 바다에는
황제라고 불리는
대해적이 4명 있고
'카이도'도
그 중 하나야.

아………
킨에몬도 그런 말
하긴 했지……!!

킨에몬?!
자네야말로
어찌 그 이름을

스르륵…

골드 로저를
알아?!

아주 옛날……
이 나라에
상륙 했던 때가
있지.

허어??

엇?
어엇~~~?!
라이조?!
카리브?!!

케히히히히!!

설명드리리다.
효고로 공!!

라……
라이조?!!

느읍!

펴

리잉!!

당신이
그 효고로
공일 줄은…

소인도
설마하니

……
……

그런 소리
마시고,
밀짚모자 씨
~~~~♡

난 너
믿기 힘들어!!
카리브!!

그렇소!!
그것이
토키 님의
요술인지라
……

자네들 정말
20년의 시간을 넘어
그 날의 '와노쿠니'에서
왔다는 말인가?!

미…
믿기
힘들군
……!!

케히히히히!!

뭐냐구, 라이조.
내 수갑 열쇠인 줄
알았더니
이 녀석 거란 게!!

……

뭐야, 너
못 돌아가냐?!

케히히히히 ♡

그렇게 질색팔색
말고~~~~♡
꼭 도움이 될 테니까!!
지금부터 난
형씨의 졸개야!!

헤…헤…♡

예전 일은
반성하고 있어!!
나 마음
바꿔먹었다구.

──그러니……
그·대·신·에에에
~~~~♪
돌아가는 배에 좀
태워주라~~~~♪

응? 효고로 공?!

쓸모있는 사내 올시다!!

음, 루피타로 공. 이 자 말인데 제법 재미있는 요술을 쓴다오.

엇?! 가……가아, 감싸함돠아 ~~!!

──그래, 좋아! 마음 바꿔먹었다니까.

……… ………

뭐지, 함정인가?! 시원깔끔해서 되려 겁나.

'아카자야'의 사무라이들은 살아 있었다니……!! 오뎅의 아이 '코즈키 모모노스케'가

살아 있었어……!! 아직 반역의 불은……… 꺼지지 않은 거로구나…!!!

………!! 아찔하군. 이제 여기서 까마귀 밥이 되겠구나 하고

죽음을 받아들였는데………!! 자칫 조금 늦었더라면… 아무것도 모르고 죽을 뻔 했어……

159

이 분은 일찍이 와노쿠니 으뜸 가는 야쿠자 대두목이시었소!!

바랄 나위 없는 도우미요, 루피 공.

빠밤!!

할아범 이라니 ──!!

뭐──?!! 역시 옛날에 굉장했구나! 할아범!!

할 수 있는 일이 있을 터!! 부디 나도 힘써 거들 수 있게 해주게……!!!

라이조, 밀짚모자…. 그렇다면 아직 이 늙은이도

띠

라잉!!

띠잉

그리고 붙잡혔다. 마침내 붙잡혔소!!

'축시 셋 꼬마'가 붙잡혔소~~~~~!!

사고요. 사건이요~~~~~!!

와노쿠니 '꽃의 도읍'

'쿠리'에서 산불!!

닥쳐라!!! 좀도둑 놈 이야기 따위 아무래도 좋다!!!

'축시 셋 꼬마'에 대해 잠시 들어주십사……

오로치 님, 코무라사키의 죽음에 그 심정 이해합니다만……

아뇨, 하지만 그 정체가 보통 놈이 아니라……!!

아뢰기 송구하오나……!! 주군께 거역한 자를 혹 그 자리에서 살려두었다면

그런 아름다운 여자는 이제 이 세상 어디에도 없다!! 코무라사키를 돌려내!!!

네놈들이 가장 사랑하는 여자를 잃은 내 마음을 알 턱이 있나!!

주군의 위엄도 평판도 바닥을 치지 않았을는지!!

!!

빠

억!!

본보기로 삼는 게 당연하지 않는가!!

온 나라에 '빛그림'을 켜라!!!

어찌 하실는지?

한 곳에 사람이 너무 모여 대혼란을 초래할 우려가 있는 까닭에

오늘은 코무라사키의 장례식.

느읏———!! 쿄시로!!

'빛그림'이라면 이미 수배 끝났습니다, 나리.

이미 준비를………!!

도읍의 '2대 스타'가 동시에 죽다니 참으로 얄궂도다!!

'순장'하는 거다………!!

!!

———그럼 '축시 셋 꼬마'는 코무라사키의 길동무로 죽게 해주마……

현장으로 가겠다……. 말을 대령하도록.

아슈라는 우리에게 필요한 남자다!!!

작전은 틀어졌고 해결책도 보이지 아니하네!!

그런 바보는 이렇게라도 안 하면 움직이지 않아!!

'백수 해적단'의 눈엣가시가 돼주면 좋겠지.

방화라니!! 상상보다 일이 커졌군.

'빛그림 우렁이'를 켜라!!

넵.

오늘은 '꽃의 도읍'이 재미있어 뵈는군.

쿠리 '바쿠라 마을'

건방지게 식량이나 무기를 훔치질 않나, 아타마야마 해적단!!

아타마야마 로 적관 등장 ―슈텐마루

슈텐마루가 산불로 죽는 모습도

온 나라에 보여주고 싶었는데

제 942 화
"하쿠마이 다이묘"
'시모츠키 야스이에'

표지 리퀘스트 '세계 치즈 도감'에서 치즈를 엄선 중인 몽도르와
'세계 와인 도감'에서 와인을 엄선 중인 일류 소믈리에 생쥐들' P.N M · 히유

디 리 잉 !!

......
......

전락할 대로
전락하였도다.
현재 '에비스
마을'에서

아 아 아 아 아 아 아 아

牢

어젯밤
도읍에서
도둑질을
저지른
이 남자!!

'축시 셋
꼬마'라는
공술도
있으나……

——또한
본인이 이르길
오랫동안
항간을
시끄럽게 한

오이란
코무라사키의
순사자(殉死者)로서
굴욕적인 '사형'을
선고한다!!

과거 군을
이끌고
'쇼군 오로치 님'을
거역한 대죄를
저질렀기에

......
......

철컥!!

까

와

하기사 '자시(子時)'에 등장했으니 '생쥐 꼬마'네.

엇?! 아니라고?! 범행 시각이 이상하긴 했는데

광대 노릇으로 벌어먹고 사는 '하쿠마이'의 전(前) '다이묘'!!

'시모츠키 야스이에'였다!!!

야스이에 님 ~~~!!

그럼 어째서 절도를 ....!!

나는 그런 영웅이 아니야!!

거짓말을 해서 미안하다!!

야스이에 님 ~~~!!

185

그건 '거짓말'이다!! 이왕 죽는 거 주목을 끌고 싶어

?!

그리 대답했다!!

그대로 야스이에 처형에 대한 주목으로 바뀌었군.

코무라사키의 장례식 소동이

서민들의 손으로 쌓아 온 우리의 자랑!!!

이 광경은 그야말로

대대로 '코즈키 가문'과

쿠로즈미 오로치!!

!!

저 자식이.

서둘러!! 시답잖은 소릴 뇌까리기 시작했다.

히히잉!

결단코 네놈의 공적이 아니다!!

탐욕스런 흙탕물로 더럽혀 갈 뿐인!!!

듣고 있나, 오로치!!

네놈은 광대하던 숲도 초목도 강도 마을도!!

!!

해충이다!!!

그저

!!!

삐 리 잉!!!

──작금 나돌았던 '수수께끼 쪽지'

지금 한 가지!! 모두에게 사과하고 싶은 게 있다!!

걷잡을 수 없게 돼요 ....!!!

야스이에 님, 그 이상은 ……!!

네 이놈, 야스이에……!!

189

삐 잉!!

내가 만들었다!!!

?!!

'코즈키'의 이름이 죽은 지 20년!! 이제 원수를 갚을 병력조차 없는

'코즈키 가문'의 원통함을 기리고자……!!!

죽었어
——!!!

아빠가

아하하
하하!!!

아하하하
하하핫!!!

'미소' 이외의
모든 '표정'을
빼앗겨……
웃을 수밖에
없게
된 거예요!!!

괴롭고 슬퍼도
얼굴에
드러낼 수가
없어요……!!

늘 웃는
에비스 마을
사람들은

멈춰요!!
다들
울고 있는
거예요!!!

저
녀석이!

?!

열매
때문에!!!

삐잉

'SMILE'
이라는

카이도와……
오로치가
들여 온

?!!!!

<원피스> 94권을 기대해 주세요!!

CHAMP COMICS

원피스 93

2023년 11월 23일 초판 인쇄
2023년 11월 30일 초판 발행

저자 : EIICHIRO ODA
역자 : 길명
발 행 인 : 황민호
콘텐츠1사업본부장 : 이봉석
책임편집 : 조동빈 /정은경
발행처 : 대원씨아이(주)

ISBN 979-11-6894-539-5 07830
ISBN 979-11-362-8747-2 (세트)

서울특별시 용산구 한강대로 15길 9-12
전화 : 2071-2000 FAX : 797-1023
1992년 5월 11일 등록 제1992-000026호

● Korean edition, for distribution and sale in Republic of Korea only.
● 이 책의 유통판매 지역은 한국에 한합니다.
● 잘못 만들어진 책은 구입하신 곳에서 바꾸어 드립니다.
● 문의 : 영업 (02)2071-2074 / 편집 (02)2071-2027

www.dwci.co.kr